L'Histoire de France en BD

Isabelle Bournier • Bruno Heitz

LA SECONDE GUERRE MONDIALE

casterman

Casterman
Cantersteen, 47
1000 Bruxelles

© Casterman, 2017, 2018
www.casterman.com

ISBN 978-2-203-17052-0
N° d'édition : L.10EJDN002070.A003
Dépôt légal : août 2018 ; D.2018/0053/402
Déposé au ministère de la Justice, Paris (loi n°49.956 du 16 juillet 1949
sur les publications destinées à la jeunesse).

Achevé d'imprimer en août 2019, en France par Pollina, Z.I. de Chasnais - F.85407 Luçon - 90886.

En 1918, quand je suis rentré après quatre ans de guerre, j'étais certain que mon pays était en paix pour longtemps. La Première Guerre mondiale avait été si terrible, elle avait fait tellement de morts et de blessés qu'on ne pouvait imaginer que cela recommence...
Et pourtant, en ce mois d'août 1938, les nouvelles sont inquiétantes. Hitler ne cesse d'étendre ses conquêtes. Jusqu'où ira-t-il? Allons-nous vers une nouvelle guerre?

APRÈS LA PREMIÈRE GUERRE MONDIALE, LA PAIX RESTE FRAGILE EN EUROPE. DE GRAVES TENSIONS POLITIQUES AGITENT LES PAYS VAINCUS COMME L'ALLEMAGNE. PUIS, EN 1929, UNE TERRIBLE CRISE ÉCONOMIQUE ÉCLATE AUX ÉTATS-UNIS.

Tu as lu ça? La crise américaine s'étend à l'Europe!

EN 1933, HITLER PROFITE DE LA CRISE ET DU DÉSARROI DES ALLEMANDS POUR ARRIVER AU POUVOIR. IL FONDE LE IIIᵉ REICH.

6 millions de chômeurs...

Hitler est notre seul espoir!

POUR HITLER, LES ALLEMANDS SONT DE LA RACE DES « SEIGNEURS ». ILS DOIVENT DOMINER L'EUROPE ET ÉLIMINER CEUX QU'IL CONSIDÈRE COMME DES « RACES INFÉRIEURES » : LES JUIFS ET LES TZIGANES.

Toutes les idées d'Hitler sont là-dedans!

Mein Kampf

HITLER INSTALLE UNE TERRIBLE DICTATURE. IL N'Y A PLUS QU'UN SEUL PARTI AUTORISÉ : LE PARTI NAZI.

Ils arrêtent les communistes...

...et les enferment dans le camp de Dachau*.

LES JUIFS SONT PERSÉCUTÉS. ILS N'ONT PLUS LE DROIT DE SE MARIER AVEC DES NON-JUIFS, D'ÊTRE ENSEIGNANTS OU DE POSSÉDER UN COMMERCE.

Demain, je n'irai pas à l'école. Ils ont exclu les Juifs.

UN GRAND NOMBRE DE JUIFS QUITTENT L'ALLEMAGNE POUR LA FRANCE, LA BELGIQUE, LES ÉTATS-UNIS OU L'AMÉRIQUE DU SUD.

En France, nous serons en sécurité.

* Camp de concentration pour les opposants allemands.

HITLER N'A JAMAIS ACCEPTÉ LE TRAITÉ DE VERSAILLES QUI A MIS FIN À LA GRANDE GUERRE. POUR LUI, L'ALLEMAGNE A ÉTÉ HUMILIÉE ET IL VEUT LAVER CET AFFRONT. CE SERA UNE DES CAUSES DE LA SECONDE GUERRE MONDIALE.

Non au Diktat* !

LE CHEF DU IIIᵉ REICH RÉTABLIT LE SERVICE MILITAIRE ET RELANCE LES USINES D'ARMEMENT. IL RECONSTITUE UNE ARMÉE POUR PRÉPARER LA GUERRE.

Hitler n'est pas très recommandable...

Mais c'est bon pour les affaires. Et il nous débarrasse des communistes.

INQUIÈTE, LA FRANCE DÉCIDE DE CONSTRUIRE DES FORTIFICATIONS LE LONG DE LA FRONTIÈRE ALLEMANDE. C'EST LA LIGNE MAGINOT.

Avec ça, ils ne passeront pas !

Cette fois, on est tranquilles.

HITLER VEUT RASSEMBLER LES POPULATIONS DE LANGUE ALLEMANDE DANS UN GRAND REICH. EN 1938, IL ENVAHIT L'AUTRICHE...

MER DU NORD
PAYS-BAS
ALLEMAGNE ● Berlin
FRANCE
TCHÉCOSLOVAQUIE
Vienne
AUTRICHE

... OÙ IL SE FAIT ACCLAMER À VIENNE.

Vive Hitler !

Heil !

Vive Hitler !

IL DÉCIDE AUSSI D'ANNEXER UNE PARTIE DE LA TCHÉCOSLOVAQUIE. L'ANGLETERRE ET LA FRANCE LE LAISSENT FAIRE.

Ouf ! Nous avons sauvé la paix !

En êtes-vous si sûr, Mister Daladier ?

DEPUIS 1936, UNE GUERRE CIVILE DÉCHIRE L'ESPAGNE. LE GÉNÉRAL FRANCO QUI REMPORTE LA VICTOIRE MET EN PLACE UNE DICTATURE AVEC L'AIDE D'HITLER ET DE MUSSOLINI.

Somos Republicanos españoles.

Huimos de la dictatura.**

* Traité de paix imposé. ** Nous sommes des Républicains espagnols. Nous fuyons la dictature.

DEPUIS DES MOIS, HITLER DEMANDE QU'UNE PARTIE DE LA POLOGNE SOIT RATTACHÉE AU REICH. POUR LES POLONAIS, IL N'EN EST PAS QUESTION.

Ici, le couloir de Dantzig qui coupe l'Allemagne en deux. Ce territoire qui a été donné à la Pologne doit redevenir allemand, comme avant la Première Guerre mondiale.

SANS DÉCLARER LA GUERRE OFFICIELLEMENT, LE 1er SEPTEMBRE 1939, HITLER ENVAHIT LA POLOGNE.

Dantzig est à nous !

LE 3 SEPTEMBRE 1939, LA GRANDE-BRETAGNE ET LA FRANCE SE PORTENT AU SECOURS DE LA POLOGNE ET ENTRENT EN GUERRE CONTRE L'ALLEMAGNE.

C'est la guerre ! Les dernières nouvelles dans Paris-Soir !

L'ARMÉE ALLEMANDE A MIS AU POINT UNE STRATÉGIE EFFICACE : C'EST LA GUERRE-ÉCLAIR. LES FANTASSINS, LES CHARS ET LES AVIONS ATTAQUENT EN MÊME TEMPS.

Messieurs, l'armée polonaise ne va plus tenir très longtemps.

LA POLOGNE EST VAINCUE. LES FRANÇAIS ET LES ANGLAIS SONT RESTÉS PASSIFS ET N'ONT PAS ATTAQUÉ L'ALLEMAGNE.

Mais qui voudrait mourir pour Dantzig ?

AU LENDEMAIN DE L'ATTAQUE ALLEMANDE CONTRE LA POLOGNE, LES FRANÇAIS DÉCOUVRENT LES AFFICHES DE LA MOBILISATION.

Monsieur le Maire, un télégramme pour vous.

Cette fois, j'ai bien peur que ce soit la mobilisation générale.

LIBERTÉ ÉGALITÉ FRATER

LA PREMIÈRE GUERRE MONDIALE N'AURA FINALEMENT PAS ÉTÉ «LA DER DES DERS»...

MOBILISATION GÉNÉRALE

!!!!!

... LA DERNIÈRE GUERRE COMME L'ESPÉRAIENT LES FRANÇAIS.

Vingt ans de paix, c'est bien court...

Oui papa. J'avais dix ans en 1918 et maintenant, c'est à mon tour de partir.

TOUS LES SOLDATS NE PEUVENT RECEVOIR UN ÉQUIPEMENT MODERNE. IL N'Y EN A PAS ASSEZ POUR TOUT LE MONDE. LES SOLDATS DE 1939 RESSEMBLENT DONC BEAUCOUP, SAUF POUR LA COULEUR, À CEUX DE LA PREMIÈRE GUERRE.

Casque modèle 1916

Havresac modèle 1893

Bidon modèle 1877

Ceinturon modèle 1903 avec trois cartouchières

Fusil Berthier modèle 1907-1915

5 MILLIONS D'HOMMES, ÂGÉS DE 20 À 40 ANS, SONT MOBILISÉS. RÉSIGNÉS, ILS SE RENDENT DANS LES CASERNES ACCOMPAGNÉS DE LEURS FAMILLES.

Peut-être qu'Hitler va reculer cette fois...

PUIS LES RÉGIMENTS REJOIGNENT LES GARES. UN DERNIER ADIEU ET C'EST LE DÉPART.

Hitler n'a qu'à bien se tenir... On arrive !

LA FRANCE A CHOISI LA STRATÉGIE DÉFENSIVE. ON ATTEND QUE L'ENNEMI ATTAQUE... ET IL N'ATTAQUE PAS.

On va gagner parce qu'on est les plus forts !

Ça ne fait aucun doute, mon Général.

PENDANT LES NEUF PREMIERS MOIS DE LA GUERRE, IL N'Y A PRESQUE PAS DE COMBATS. ON SURNOMME CETTE PÉRIODE « LA DRÔLE DE GUERRE ».

Tu la trouves drôle, toi, cette guerre ?

Moi, elle ne me fait pas rire du tout.

LES ANGLAIS L'APPELLENT PHONEY WAR, LA « FAUSSE GUERRE ».

À l'horizon, rien de nouveau ?

EN ALLEMAGNE, ILS DISENT SITZKRIEG, LA « GUERRE ASSISE ».

SUR LE FRONT, LES SOLDATS S'ENNUIENT. POUR PASSER LE TEMPS, ILS FONT DES EXERCICES MILITAIRES ET ESSAIENT DE SE DISTRAIRE.

Une partie de cartes avant la soupe ?

Oui, je dois prendre ma revanche d'hier.

LA DISTRIBUTION DU COURRIER ET DES COLIS EST TRÈS ATTENDUE PAR LES SOLDATS QUI SONT LOIN DE CHEZ EUX.

Chic ! J'ai une lettre de ma mère.

... et moi, des chaussettes en laine.

POUR REMONTER LE MORAL DES TROUPES, DES SPECTACLES DE THÉÂTRE OU DE CHANSONS SONT ORGANISÉS SUR LE FRONT.

« Et tout ça, ça fait d'excellents Français... »

Bravo Maurice !

MAURICE
CHEVALIER

LE QUOTIDIEN DES FRANÇAIS EST BOULEVERSÉ PAR LA GUERRE. LES FEMMES RESTENT SEULES ET DOIVENT TROUVER DU TRAVAIL.

Vous commencez par l'avenue de Verdun. Ensuite, vous distribuerez le courrier place Foch.

LA DÉFENSE PASSIVE* S'ORGANISE. DES GUETTEURS SURVEILLENT LES AVIONS ENNEMIS.

Je viens prendre mon tour de garde.

ON CREUSE DES TRANCHÉES ET ON AMÉNAGE DES ABRIS (MÉTRO, CAVES...) POUR S'Y RÉFUGIER EN CAS D'ALERTE.

HouHouououou HouHou Hou Houououou Houououou HouHouHou

Vous ne savez pas qu'il est interdit de circuler pendant une alerte ? Et avec les phares allumés en plus ?

DANS LES ÉCOLES, ON APPREND AUX ÉLÈVES À METTRE DES MASQUES À GAZ.

Rappelez-vous des gaz de la Grande Guerre...

ON PROTÈGE LES PRINCIPAUX MONUMENTS.

Faites passer le sable !

HENRI 4Z

Voilà, comme ça Henri IV est tranquille...

Comme un coq en pâte !

NOUS VAiNCRONS!

LES ENFANTS DES ÉCOLES ÉCRIVENT AUX SOLDATS POUR LES AIDER À GARDER LE MORAL. ILS LEUR TRICOTENT DES ÉCHARPES ET DES CHAUSSETTES.

Mince, j'ai fait un trou dans la chaussette !

* Organisation des civils pour se protéger.

LE 10 MAI 1940, L'ARMÉE ALLEMANDE ATTAQUE LES PAYS-BAS, LA BELGIQUE ET LA FRANCE. COMME EN 1914, LES ALLEMANDS PASSENT PAR LA FORÊT DES ARDENNES.

On nous avait dit que, cette fois-ci, ils ne pourraient pas passer.

Eh bien, ils se sont trompés...

IL NE LEUR FAUT QUE TROIS JOURS POUR CONTOURNER LA LIGNE MAGINOT. POUR LES ARMÉES FRANÇAISES ET BRITANNIQUES QUI S'ÉTAIENT PORTÉES AU SECOURS DE LA BELGIQUE, IL EST TROP TARD POUR RECULER.

Dunkerque

Pays-Bas

Belgique

Paris

France

Allemagne

Armée française encerclée

← armée allemande
← armées franco-britanniques
⇠ ligne Maginot

DANS LES ENVIRONS DE DUNKERQUE, FRANÇAIS ET BRITANNIQUES SONT PRIS AU PIÈGE.

Dépêchez-vous ! On rembarque pour l'Angleterre !

UN MILLION ET DEMI DE SOLDATS FRANÇAIS SONT FAITS PRISONNIERS.

Pour nous, la guerre est finie.

HUIT MILLIONS DE FRANÇAIS FUIENT DEVANT L'ARMÉE ALLEMANDE ET PARTENT SUR LES ROUTES, EN VOITURE, EN VÉLO OU À PIED. C'EST L'EXODE.

Un avion allemand ! Tous dans le fossé !

L'ARMÉE FRANÇAISE TENTE ENCORE DE RÉSISTER MAIS LES MANŒUVRES DE L'ENNEMI SONT TROP RAPIDES. L'ORDRE DE LA RETRAITE EST DONNÉ.

Et en plus, l'Italie nous déclare la guerre !

Tout est fini !

LE 14 JUIN 1940, LES TROUPES ALLEMANDES ENTRENT DANS PARIS ET DÉFILENT EN VAINQUEURS SUR LES CHAMPS-ÉLYSÉES.

J'ai honte de voir ça !

DEUX JOURS PLUS TARD, LE MARÉCHAL PÉTAIN EST APPELÉ AU POUVOIR. IL DEVIENT PRÉSIDENT DU CONSEIL*.

Il est drôlement vieux !

LE 17 JUIN, PÉTAIN PRONONCE UN DISCOURS À LA RADIO DANS LEQUEL IL RECONNAÎT LA DÉFAITE DE LA FRANCE. IL DEMANDE L'ARMISTICE.

Je fais à la France le don de ma personne...

C'est le cœur serré que je vous dis qu'il faut cesser le combat....

Il a raison.

Non ! JAMAIS !

L'ARMISTICE EST SIGNÉ LE 22 JUIN DANS LE MÊME WAGON QUE CELUI QUI AVAIT SERVI LE 11 NOVEMBRE 1918, JOUR DE LA DÉFAITE DE L'ALLEMAGNE. HITLER VOULAIT PRENDRE SA REVANCHE.

Les troupes françaises doivent déposer immédiatement les armes.

LE LENDEMAIN, HITLER VISITE PARIS. IL VEUT S'INSPIRER DES MONUMENTS DE LA CAPITALE POUR TRANSFORMER BERLIN.

ACADEMIE NATIONALE DE MUSIQUE

Voilà d'excellentes images pour la propagande !

* Premier ministre.

REFUSANT LA DÉFAITE ET L'ARMISTICE SIGNÉ PAR PÉTAIN, LE GÉNÉRAL DE GAULLE DÉCIDE DE POURSUIVRE LE COMBAT.

Je pars en Angleterre...

... pour continuer la guerre !

CET OFFICIER, QUASIMENT INCONNU DES FRANÇAIS, S'INSTALLE À LONDRES ET FONDE LE MOUVEMENT DE LA FRANCE LIBRE.

Welcome to London !

LE 18 JUIN 1940, À LA RADIO DE LONDRES (LA BBC), LE GÉNÉRAL DE GAULLE LANCE UN APPEL À TOUS LES FRANÇAIS.

L'espérance doit-elle disparaître ?

La défaite est-elle définitive ? Non !

IL LEUR DEMANDE DE REFUSER LA DÉFAITE ET DE RÉSISTER AUX ALLEMANDS QUI OCCUPENT LA FRANCE.

La flamme de la résistance française ne doit pas s'éteindre...

!

PEU DE FRANÇAIS ENTENDENT L'APPEL QUI, HEUREUSEMENT, EST RETRANSMIS PAR LES JOURNAUX.

C'est qui, ce de Gaulle ?

Un ancien secrétaire d'État à la guerre, je crois.

Attention ! Des Allemands.

DES MARINS DE L'ÎLE DE SEIN, EN BRETAGNE, QUI ONT ENTENDU L'APPEL, DÉCIDENT DE REJOINDRE L'ANGLETERRE À BORD DE LEURS BATEAUX DE PÊCHE.

Tu es sûr que c'est par là, l'Angleterre ?

EN JUIN 1940, L'ANGLETERRE EST LE SEUL PAYS EUROPÉEN À DÉFIER HITLER QUI NE PARVIENDRA JAMAIS À L'ENVAHIR.

We shall never surrender !*

* Nous ne nous rendrons jamais !

L'ARMISTICE AVEC L'ALLEMAGNE EST DUR POUR LA FRANCE QUI DOIT PAYER DES FRAIS D'OCCUPATION TRÈS ÉLEVÉS, LIVRER SON ARMEMENT AU REICH ET RÉDUIRE SON ARMÉE...

On est fauchés comme les blés !

Et les Allemands ont emprisonné notre fils !

LA MOITIÉ NORD DE LA FRANCE EST OCCUPÉE PAR L'ARMÉE ALLEMANDE. LA ZONE SUD RESTE SOUS L'AUTORITÉ DU MARÉCHAL PÉTAIN.

ENTRE LA ZONE NORD ET LA ZONE SUD, UNE VÉRITABLE FRONTIÈRE INTÉRIEURE EST TRACÉE. C'EST LA LIGNE DE DÉMARCATION.

Ausweis bitte*.

LIGNE DE DÉMARCATIO

INSTALLÉS EN ZONE NORD, LES ALLEMANDS SE LIVRENT À UN PILLAGE DES RICHESSES DE LA FRANCE.

Réquisition de tous les chevaux !

POUR PILLER LE PAYS, NUL BESOIN DE MENACER LES FRANÇAIS. LES ALLEMANDS PAYENT CE QU'ILS PRENNENT... AVEC L'ARGENT QUE LEUR VERSE LA FRANCE.

Le rez-de-chaussée est réquisitionné pour nos bureaux. Vous vivrez à l'étage.

LE LONG DES CÔTES, LES ALLEMANDS CRÉENT UNE ZONE INTERDITE. SEULS CEUX QUI Y HABITENT ET CEUX MUNIS D'UN LAISSEZ-PASSER PEUVENT Y CIRCULER.

Je viens enfin d'obtenir mon laissez-passer pour la pêche.

* Laissez-passer, s'il vous plaît.

PARIS N'EST PLUS LA CAPITALE DE LA FRANCE OÙ SIÈGE LE GOUVERNEMENT FRANÇAIS. ELLE DEVIENT LE LIEU DE RÉSIDENCE DU COMMANDEMENT MILITAIRE ALLEMAND. L'OCCUPANT Y RÈGNE EN MAÎTRE ET LE DRAPEAU À CROIX GAMMÉE Y FLOTTE PARTOUT.

Ils nous ont même pris la tour Eiffel !

TOUS LES JOURS, L'ARMÉE ALLEMANDE DÉFILE SUR LES CHAMPS-ÉLYSÉES.

Ein, zwei ! Ein, zwei !*

L'OCCUPANT RÉQUISITIONNE PLUS DE MILLE IMMEUBLES. LES ÉTATS-MAJORS S'INSTALLENT DANS LES BEAUX QUARTIERS ET LES GRANDS HÔTELS.

On est quand même mieux ici que sur le front polonais !

PARTOUT, ON VOIT DES PANNEAUX ÉCRITS EN ALLEMAND ET DES SOLDATS QUI PATROUILLENT.

Guten Tag,** jolie mademoiselle.

CERTAINS THÉÂTRES, CAFÉS, RESTAURANTS OU CINÉMAS SONT MÊME RÉSERVÉS AUX ALLEMANDS.

On se retrouve ce soir au cabaret de la butte ?

Oui ! À MONTMARTRE !

DEUX TIERS DES PARISIENS ONT QUITTÉ LA CAPITALE. CEUX QUI SONT RESTÉS ADOPTENT UNE ATTITUDE PRUDENTE À L'ÉGARD DES OCCUPANTS. ON NE SAIT JAMAIS...

Tu n'as pas peur de sortir, toi ?

Non, pour le moment tout est calme...

*Un, deux ! Un, deux ! **Bonjour.

PENDANT QUE LES ALLEMANDS S'INSTALLENT À PARIS, LE MARÉCHAL PÉTAIN ÉTABLIT SON GOUVERNEMENT À VICHY. LE SÉNAT ET LES DÉPUTÉS LUI DONNENT TOUS LES POUVOIRS.

J'ai voté contre, mais nous n'étions pas nombreux.

LA RÉPUBLIQUE FRANÇAISE N'EXISTE PLUS. ELLE EST REMPLACÉE PAR UN RÉGIME AUTORITAIRE, APPELÉ «L'ÉTAT FRANÇAIS».

On l'appelle aussi « gouvernement de Vichy ».

À 84 ANS, PHILIPPE PÉTAIN DEVIENT CHEF DE L'ÉTAT. LES FRANÇAIS LUI FONT CONFIANCE.

Le Maréchal ? C'est quand même le héros de Verdun.

PÉTAIN VEUT REDRESSER LA FRANCE. SON PROGRAMME POLITIQUE S'APPELLE « LA RÉVOLUTION NATIONALE ». LA NOUVELLE DEVISE EST « TRAVAIL, FAMILLE, PATRIE ».

TRAVAIL FAMILLE PATRIE

Je préférais la devise de la République « Liberté, égalité, fraternité ».

LES ÉLECTIONS SONT SUPPRIMÉES ET LES JOURNAUX ÉTROITEMENT SURVEILLÉS. LES JUIFS SONT PEU À PEU EXCLUS DE LA SOCIÉTÉ, LES COMMUNISTES SONT ARRÊTÉS.

Cela ressemble fort à une dictature !

LE 24 OCTOBRE 1940, PÉTAIN RENCONTRE HITLER DANS LA PETITE VILLE DE MONTOIRE.

J'engage la France dans la collaboration avec l'Allemagne nazie.

PÉTAIN VEUT MONTRER SA BONNE VOLONTÉ À HITLER POUR ATTÉNUER LE POIDS DE L'OCCUPATION ET POUR ÊTRE LIBRE DE METTRE EN ŒUVRE LES RÉFORMES PRÉVUES DANS SA « RÉVOLUTION NATIONALE ».

On est en train de se faire avoir ! La France n'y gagnera rien !

AU FIL DES MOIS, LA VIE QUOTIDIENNE DEVIENT DE PLUS EN PLUS DIFFICILE. L'OCCUPANT MULTIPLIE RÈGLEMENTS ET INTERDICTIONS. LES CONTRÔLES SONT PERMANENTS.

On ne peut plus aller danser, les bals sont interdits.

LES FRANÇAIS VIVENT À L'HEURE ALLEMANDE. ILS ONT DÛ AVANCER LEUR MONTRE D'UNE HEURE.

Tu as une heure de retard.

Moi, je refuse de changer d'heure.

ON MANQUE DE NOURRITURE, DE VÊTEMENTS, D'ESSENCE... LA PÉNURIE EST AGGRAVÉE PAR TOUT CE QUE LES ALLEMANDS PRÉLÈVENT.

Ce soir, c'est rutabagas.

Y a rien d'autre ? Hier, c'était topinambours !

Beurk !

POUR QUE CHACUN PUISSE ACHETER À MANGER, LES ALIMENTS SONT RATIONNÉS.

Désolée, sans tickets* je ne vends rien.

TROUVER DE QUOI MANGER DEVIENT UN CASSE-TÊTE QUOTIDIEN. C'EST PARTICULIÈREMENT DIFFICILE DANS LES VILLES.

Plus de viande aujourd'hui.

Il n'y en n'avait déjà pas hier...

CERTAINS FRANÇAIS PROFITENT DE L'OCCUPATION POUR S'ENRICHIR. C'EST LE MARCHÉ NOIR : ILS VENDENT TRÈS CHERS DES PRODUITS RATIONNÉS, COMME LA VIANDE, LE BEURRE, LES ŒUFS...

2000 francs les 6 œufs ?

Mais ils viennent de Normandie !

Contrôle ! Qu'est-ce que vous transportez là ?

* Chacun a droit à un nombre limité de tickets qui lui donne le droit de faire des achats.

16

IL DEVIENT DIFFICILE DE TROUVER DU CUIR OU DE LA LAINE. LES FRANÇAIS ONT RECOURS AU SYSTÈME D ET FONT DU NEUF AVEC DU VIEUX. LES PULLS TROP PETITS SONT DÉTRICOTÉS ET ON TAILLE DES MANTEAUX DANS DES COUVERTURES.

Tu le trouves comment mon chapeau en orties tressées ?

COMME LE CUIR EST RÉQUISITIONNÉ PAR LES ALLEMANDS, LES SEMELLES USÉES SONT REMPLACÉES PAR DES SEMELLES DE BOIS.

Aussi bien que mes pantoufles en rafia !

Ça me repose des galoches !

QUAND LA SIRÈNE DONNE L'ALERTE, LES FRANÇAIS REJOIGNENT LES ABRIS OU DESCENDENT DANS LA CAVE DE LEUR IMMEUBLE.

UUHOUUUUUHOOUU UUHOOUUHOOU

Poussez pas !

LE CHARBON ÉTANT RATIONNÉ, LE GOUVERNEMENT CONSEILLE À LA POPULATION DE SE CHAUFFER LE MOINS POSSIBLE. BEAUCOUP DE FRANÇAIS VIVENT DANS LEUR CUISINE.

Et l'hiver qui n'en finit pas...

PLUS D'ESSENCE... LES VOITURES ROULENT AU GAZOGÈNE À BOIS OU AU CHARBON QUAND ON EN A...

Qu'est-ce que tu fais ?

Du petit bois pour faire le plein.

LE VÉLO REVIENT À LA MODE. IL Y A MÊME DES VÉLOS-TAXIS.

À Montmartre !

Eh ! C'est que ça monte !

À LA TOMBÉE DE LA NUIT, C'EST LE COUVRE FEU. IL EST INTERDIT DE SORTIR SANS UNE AUTORISATION DES ALLEMANDS.

Attention ! Une patrouille !

AU QUOTIDIEN, LES FRANÇAIS SONT SOUMIS À UNE INTENSE PROPAGANDE. AFFICHES, JOURNAUX ET RADIO RELAIENT LES IDÉES DU GOUVERNEMENT DE VICHY ET DE L'OCCUPANT.

UN VÉRITABLE CULTE S'ORGANISE AUTOUR DE LA PERSONNE DE PÉTAIN. SON PORTRAIT EST PARTOUT : AFFICHES, LIVRES, VAISSELLE, JOUETS...

LA JEUNESSE EST UNE CIBLE PRIVILÉGIÉE DE LA PROPAGANDE DE VICHY. PÉTAIN COMPTE SUR ELLE POUR PORTER LES NOUVELLES VALEURS DE LA FRANCE.

« FAITES CONFIANCE AU SOLDAT ALLEMAND » EST LE THÈME D'UNE CÉLÈBRE AFFICHE PLACARDÉE PARTOUT SUR LES MURS.

LES ALLIÉS AUSSI IMPRIMENT DES TRACTS ET DES JOURNAUX QU'ILS DIFFUSENT CLANDESTINEMENT AUPRÈS DES FRANÇAIS.

DEPUIS 1940, LES ANGLAIS UTILISENT LEUR RADIO, LA BBC, POUR DIFFUSER LA PROPAGANDE ALLIÉE DANS LES PAYS OCCUPÉS.

DÈS 1933, EN ALLEMAGNE, LES NAZIS MÈNENT UNE POLITIQUE ANTISÉMITE. À PARTIR DE 1940, ILS REGROUPENT LES JUIFS DANS DES QUARTIERS FERMÉS (LES GHETTOS) PUIS LES ENFERMENT DANS DES CAMPS.

Tous les Juifs doivent disparaître !

EN 1941 COMMENCE L'EXTERMINATION DES JUIFS ET LA DÉPORTATION DES TZIGANES.

EN FRANCE, EN ZONE OCCUPÉE, LA PERSÉCUTION DES JUIFS COMMENCE DÈS L'ARRIVÉE DES TROUPES ALLEMANDES.

Pétain accuse les Juifs d'être les ennemis de la France.

Il publie des lois antisémites comme les Nazis !

LES JUIFS SONT PERSÉCUTÉS, HUMILIÉS ET EXCLUS DE CERTAINES PROFESSIONS COMME L'ARMÉE, L'ENSEIGNEMENT, LA PRESSE...

Je n'ai plus le droit d'exercer la médecine.

Même chose pour nous les avocats.

Docteur Cohen

LES COMMERÇANTS DOIVENT COLLER UNE AFFICHE SUR LEUR VITRINE.

C'est terrible... Ils n'ont pourtant rien fait à personne !

CHAPEAUX

Entreprise juive

À PARTIR DE JUIN 1942, LES JUIFS ÂGÉS DE PLUS DE 6 ANS DOIVENT PORTER UNE ÉTOILE JAUNE.

Il ne faut jamais sortir sans ton étoile !

DE NOMBREUX LIEUX PUBLICS COMME LES THÉÂTRES, LES CINÉMAS OU LES PARCS SONT INTERDITS AUX JUIFS.

On ne peut pas jouer avec vous...

Pourquoi ?

Parce qu'on est Juifs.

DÈS SEPTEMBRE 1940, L'OCCUPANT ALLEMAND A IMPOSÉ AUX JUIFS DE SE FAIRE RECENSER. LE TAMPON «JUIF» EST APPLIQUÉ SUR CHAQUE CARTE D'IDENTITÉ.

Ce n'est pas dangereux de se faire recenser ?

Non, en France, on ne risque rien.

EN 1941, LA TRAQUE DES JUIFS COMMENCE. LE COMMANDEMENT ALLEMAND ORGANISE TROIS GRANDES RAFLES MENÉES GRÂCE AUX FICHIERS DE LA POLICE FRANÇAISE.

Ils arrêtent les Juifs étrangers.

Tu crois qu'ils vont s'en prendre à nous ?

EN MAI 1941, À PARIS, DES MILLIERS DE JUIFS REÇOIVENT UNE CONVOCATION SUR UN BILLET VERT.

Ça doit être une simple vérification. Allons-y.

ILS SE RENDENT DANS LES CENTRES INDIQUÉS ET SONT ARRÊTÉS. ILS SERONT DÉPORTÉS VERS LES CAMPS D'EXTERMINATION.

C'est la rafle du billet vert.

TOUT S'ACCÉLÈRE AVEC LA RAFLE DU VEL' D'HIV'. LES 16 ET 17 JUILLET 1942, PLUS DE 13 000 JUIFS SONT ARRÊTÉS AVEC L'AIDE DE LA POLICE FRANÇAISE. LES FAMILLES SONT EMMENÉES AU VÉLODROME D'HIVER PUIS DÉPORTÉES À AUSCHWITZ.

Vite, sauvez-vous les enfants !

!!??

EN AOÛT 1942, LES RAFLES S'ÉTENDENT EN ZONE SUD, À LYON ET À MARSEILLE.

Papa s'est fait arrêter !

LES JUIFS NE SAVENT PAS CE QUI LES ATTEND. ILS CROIENT PARTIR DANS DES CAMPS DE TRAVAIL EN POLOGNE. APRÈS LES RAFLES DE L'ÉTÉ, DE TERRIBLES RUMEURS COMMENCENT À SE RÉPANDRE.

Tu y crois, toi, à ce qu'on dit ?

Non, ce sont encore des racontars...

D'AOÛT 1941 À AOÛT 1944, 90 POUR CENT DES JUIFS DÉPORTÉS DE FRANCE TRANSITENT PAR LE CAMP DE DRANCY, PRÈS DE PARIS. ILS PARTENT ENSUITE EN TRAIN VERS LES CAMPS D'EXTERMINATION NAZIS, LA PLUPART DU TEMPS VERS AUSCHWITZ.

Schnell ! Schnell !*

À LEUR ARRIVÉE, LA GRANDE MAJORITÉ D'ENTRE EUX EST DIRIGÉE VERS LES CHAMBRES À GAZ POUR Y ÊTRE TUÉE.

Maman, j'ai peur.

Tiens-moi la main.

LORS DES RAFLES, DES POLICIERS ONT LAISSÉ FUIR DES JUIFS. DES CONCIERGES ET DES VOISINS ONT OUVERT LEURS PORTES POUR LES CACHER.

Entrez vite !

CONCIERGE

LE SAUVETAGE DES ENFANTS S'ORGANISE. DES FAMILLES ACCEPTENT DE LES ACCUEILLIR CHEZ ELLES ET DE LES GARDER JUSQU'À LA FIN DE LA GUERRE.

C'est qui, lui ?

C'est mon cousin de Bretagne.

LES ENFANTS CACHÉS SONT OBLIGÉS DE CHANGER DE NOM, DE RELIGION ET SURTOUT, ILS NE DOIVENT JAMAIS PARLER DE LEUR VIE D'AVANT.

Ne dis à personne que tu es juif.

À LA FIN DE LA GUERRE, ILS SONT PEU NOMBREUX À RETROUVER LEURS PARENTS CAR BEAUCOUP ONT ÉTÉ DÉPORTÉS ET TUÉS DANS LES CAMPS NAZIS.

LVTETIA

Est-ce que vous avez vu mes parents ?

FFI

* Vite ! Vite !

PENDANT CE TEMPS, LA GUERRE FAIT RAGE EN EUROPE, EN ASIE ET EN AFRIQUE. LES FRANÇAIS ESSAYENT DE SE TENIR INFORMÉS PAR LES JOURNAUX ET LA RADIO.

Il est bien, ce magazine allemand avec ses photos en couleur !

Un beau journal de propagande, oui !

EN JUIN 1941, ALORS QUE PERSONNE NE S'Y ATTEND, L'ALLEMAGNE ENVAHIT L'URSS.

Il paraît que les Russes ne sont pas prêts pour la guerre.

L'ARMÉE ALLEMANDE S'ENFONCE PROFONDÉMENT EN RUSSIE ET EN DÉCEMBRE, LA WEHRMACHT* EST AUX PORTES DE MOSCOU.

C'est horrible ! Ils brûlent les villages !

À L'AUTRE BOUT DU MONDE, DANS L'OCÉAN PACIFIQUE, L'ARMÉE JAPONAISE ATTAQUE LA BASE MILITAIRE AMÉRICAINE DE PEARL HARBOR. ON EST LE 7 DÉCEMBRE 1941.

LE LENDEMAIN, LE PRÉSIDENT F. D. ROOSEVELT ANNONCE QUE LES ÉTATS-UNIS ENTRENT EN GUERRE.

Je demande au Congrès de déclarer que les États-Unis se trouvent en guerre avec l'Empire du Japon.

IL Y A MAINTENANT DEUX CAMPS ENNEMIS. D'UN CÔTÉ, LES PAYS DE L'AXE AVEC L'ALLEMAGNE, L'ITALIE ET LE JAPON. DE L'AUTRE, LES ALLIÉS AVEC LES ÉTATS-UNIS, L'URSS, LA GRANDE-BRETAGNE ET LE CANADA.

L'entrée en guerre des États-Unis va changer le cours de la guerre.

* Armée allemande.

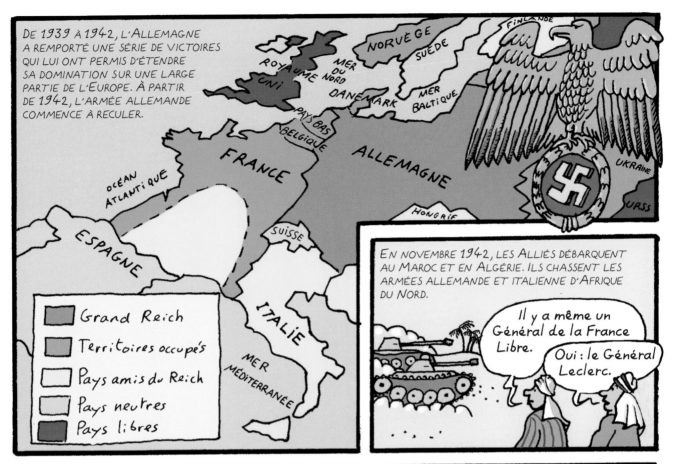

DE 1939 A 1942, L'ALLEMAGNE A REMPORTÉ UNE SÉRIE DE VICTOIRES QUI LUI ONT PERMIS D'ÉTENDRE SA DOMINATION SUR UNE LARGE PARTIE DE L'EUROPE. À PARTIR DE 1942, L'ARMÉE ALLEMANDE COMMENCE À RECULER.

NORVÈGE
SUÈDE
FINLANDE
ROYAUME UNI
MER DU NORD
DANEMARK
MER BALTIQUE
PAYS-BAS
BELGIQUE
FRANCE
ALLEMAGNE
UKRAINE
OCÉAN ATLANTIQUE
HONGRIE
URSS
ESPAGNE
SUISSE
ITALIE
MER MÉDITERRANÉE

Grand Reich
Territoires occupés
Pays amis du Reich
Pays neutres
Pays libres

EN NOVEMBRE 1942, LES ALLIÉS DÉBARQUENT AU MAROC ET EN ALGÉRIE. ILS CHASSENT LES ARMÉES ALLEMANDE ET ITALIENNE D'AFRIQUE DU NORD.

Il y a même un Général de la France Libre.

Oui : le Général Leclerc.

EN FRANCE, LES ALLEMANDS QUI CRAIGNENT UNE INVASION ALLIÉE PAR LE SUD DÉCIDENT D'OCCUPER LA ZONE LIBRE.

Tu prends le maquis ?

Moi, je pars me cacher à la montagne.

EN URSS, L'ARMÉE ALLEMANDE SUBIT UNE IMPORTANTE DÉFAITE À STALINGRAD, EN FÉVRIER 1943. CET ÉCHEC MARQUE UN TOURNANT DANS LA GUERRE.

Il paraît qu'ils n'ont pas pu résister au terrible hiver russe.

Oui... Les soldats gelaient sur place !

EN ÉTÉ, LES TROUPES AMÉRICAINES, BRITANNIQUES ET CANADIENNES DÉBARQUENT EN SICILE (ITALIE). MUSSOLINI, L'ALLIÉ D'HITLER EST DESTITUÉ.

Chute du dictateur italien ! Demandez Paris-Soir !

EN FRANCE, À PARTIR DE 1942, LA COLLABORATION SE DURCIT. LES ALLEMANDS ONT BESOIN DE MAIN D'ŒUVRE POUR REMPLACER LES SOLDATS PARTIS SUR LE FRONT DE L'EST. ILS ONT AUSSI BESOIN DE MÉTAUX, DE NOURRITURE, DE CUIR. LE PILLAGE DE LA FRANCE S'AGGRAVE ENCORE.

Et voilà que maintenant, il faut donner toutes nos casseroles !

EN 1942, LE PRÉSIDENT DU CONSEIL PIERRE LAVAL INVENTE «LA RELÈVE»: POUR CHAQUE OUVRIER FRANÇAIS QUI PART EN ALLEMAGNE, UN PRISONNIER RENTRE.

Le résultat est très insuffisant, monsieur Laval, je veux plus d'ouvriers.

POUR RÉPONDRE À LA DEMANDE DES ALLEMANDS, LE SERVICE DU TRAVAIL OBLIGATOIRE (S.T.O) EST CRÉÉ. LES JEUNES HOMMES DE 23 À 25 ANS DOIVENT PARTIR TRAVAILLER POUR LE REICH.

J'ai reçu ma convocation : je pars demain.

!!!

LES OUVRIERS FRANÇAIS QUI TRAVAILLENT DANS LES USINES ALLEMANDES SONT EXPOSÉS AUX BOMBARDEMENTS ALLIÉS.

OUHOUHOUHOUHOUHOUH

Encore une alerte !

Ça fait la troisième de la journée !

CEUX QUI REFUSENT DE PARTIR SONT OBLIGÉS DE SE CACHER. CERTAINS ENTRENT DANS LA RÉSISTANCE.

Je pars me cacher à la campagne !

LES PRISONNIERS DE GUERRE FRANÇAIS SONT, EUX AUSSI, OBLIGÉS DE TRAVAILLER POUR LE REICH.

Moi je suis dans une ferme. Et toi ?

Moi, je suis à l'usine.

LA COLLABORATION AVEC L'ALLEMAGNE REPOSE SUR L'IDÉE QUE, DANS L'AVENIR, L'EUROPE SERA NAZIE ET QUE LA FRANCE DOIT Y AVOIR SA PLACE.

Je souhaite la victoire de l'Allemagne.

LES DÉFENSEURS D'UNE COLLABORATION PLUS FORTE VOUDRAIENT APPLIQUER LE NAZISME OU LE FASCISME EN FRANCE. ON LES APPELLE « LES COLLABOS ».

Là-dedans, ils trouvent que Pétain ne va pas assez loin.

C'est des collabos !

EN PLUS DES OUVRIERS, LES ALLEMANDS EXIGENT QUE VICHY LEUR LIVRE LES JUIFS DE FRANCE. LES ARRESTATIONS SE MULTIPLIENT.

Encore un train qui part vers l'Est...

EN 1943, LA MILICE FRANÇAISE EST CRÉÉE. HITLER AVAIT DEMANDÉ DE LUTTER AVEC PLUS D'EFFICACITÉ CONTRE LES RÉSISTANTS.

Méfiez-vous d'eux, ils torturent et ils exécutent comme les Nazis.

IL Y A MÊME DES FRANÇAIS QUI S'ENGAGENT DANS L'ARMÉE ALLEMANDE ET QUI COMBATTENT AVEC L'UNIFORME ALLEMAND.

Ce sont les pires...

ILS SERONT PARMI LES DERNIERS DÉFENSEURS D'HITLER QUAND, EN 1945, LE CHEF DE L'ALLEMAGNE NAZIE SERA RETRANCHÉ DANS SON BUNKER À BERLIN.

On est défendus par des Français... on aura tout vu !

DÈS 1940, DE PETITS GROUPES DE RÉSISTANTS SE CRÉENT. ILS N'ONT PAS TOUS ENTENDU L'APPEL DU GÉNÉRAL DE GAULLE, MAIS ILS REFUSENT L'OCCUPATION ALLEMANDE. AU FIL DES ANNÉES, LA RÉSISTANCE VA GRANDIR ET S'ORGANISER.

Pas question de se laisser faire !

LES PREMIERS RÉSISTANTS MÈNENT DES ACTIONS MODESTES. ILS DÉCHIRENT LES AFFICHES EN ALLEMAND OU ÉCRIVENT DES SLOGANS SUR LES MURS.

MORT AUX BOCHES

Dépêche-toi ! J'entends une patrouille !

EN 1941, LA LETTRE «V» COMME «VICTOIRE» FAIT SON APPARITION. PARTOUT EN EUROPE OCCUPÉE, LES RÉSISTANTS PEIGNENT DES «V» SUR LES MURS.

On entend même le «V» en morse à la BBC.

Oui, ça fait ta-ta-ta-taaaa !

PLUS TARD, LES RÉSISTANTS MÈNENT AUSSI DES ACTIONS DE SABOTAGES ET ORGANISENT DES ATTENTATS CONTRE LES ALLEMANDS.

Ils ont encore fait dérailler un train ! 24 soldats tués !

C'est INADMISSIBLE !

S'ILS SE FONT PRENDRE, LES RÉSISTANTS RISQUENT LA MORT OU LA DÉPORTATION EN CAMPS DE CONCENTRATION.

FEU !

POUR SE DÉBARRASSER DES OPPOSANTS, L'OCCUPANT A MIS EN PLACE L'OPÉRATION « NUIT ET BROUILLARD ». LES RÉSISTANTS SONT ARRÊTÉS, TRANSFÉRÉS EN ALLEMAGNE...

... ET DISPARAISSENT SANS LAISSER DE TRACE.

Mon cousin a disparu, on n'a jamais eu de nouvelles.

LA RÉSISTANCE AIDE AUSSI LES PERSONNES RECHERCHÉES À SE CACHER.

Ne le dis à personne ! On cache un aviateur dans le grenier.

ELLE LEUR FABRIQUE DES FAUX PAPIERS À L'AIDE DE TAMPONS VOLÉS.

Encore un cachet et tu auras ton Ausweis* !

LES RÉSISTANTS FOURNISSENT DE PRÉCIEUX RENSEIGNEMENTS AUX ANGLAIS : LES POSITIONS DES TROUPES ALLEMANDES, LEUR NOMBRE, LEUR ÉQUIPEMENT...

Voilà mon dernier repérage sur la côte.

LA RÉSISTANCE A SES JOURNAUX : LIBÉRATION, COMBAT, LE FRANC-TIREUR... ILS SONT DE DIFFÉRENTES TENDANCES POLITIQUES.

Tiens... le dernier numéro de Combat !

EN 1943, JEAN MOULIN EST ENVOYÉ EN FRANCE POUR RASSEMBLER LA RÉSISTANCE SOUS L'AUTORITÉ DU GÉNÉRAL DE GAULLE.

J'arrive de Londres.

MALHEUREUSEMENT, JEAN MOULIN EST ARRÊTÉ PAR LES ALLEMANDS. IL EST TORTURÉ ET IL MEURT.

Il a eu juste le temps de fonder le Conseil national de la Résistance.

EN 1944, ALORS QUE LE DÉBARQUEMENT DE NORMANDIE SE PRÉPARE, LA RÉSISTANCE FRANÇAISE EST PRÊTE À ENTRER EN ACTION.

Les sanglots longs des violons...

C'est le signal !

On y va !

* Laissez-passer

DEPUIS 1941, ANGLAIS, AMÉRICAINS ET CANADIENS SE RENCONTRENT RÉGULIÈREMENT POUR RÉFLÉCHIR À UNE STRATÉGIE COMMUNE POUR VAINCRE HITLER. EN 1943, APRÈS AVOIR LONGUEMENT HÉSITÉ, ILS DÉCIDENT DE DÉBARQUER EN FRANCE.

Nous débarquerons en Normandie.

Yes !

LE GÉNÉRAL EISENHOWER A SIX MOIS POUR PRÉPARER LE DÉBARQUEMENT. PREMIÈREMENT, IL LUI FAUT DÉFINIR UN PLAN D'ATTAQUE. IL Y AURA CINQ SECTEURS D'ASSAUT QUI PORTERONT CHACUN UN NOM DE CODE.

Il faut débarquer là où l'ennemi ne nous attend pas !

DEPUIS LE DÉBUT DE LA GUERRE, LES ÉTATS-UNIS FABRIQUENT DU MATÉRIEL POUR LES ALLIÉS. UNE MULTITUDE DE CHARS, D'AVIONS ET DE CAMIONS SORTENT DES USINES.

Si on m'avait dit qu'un jour j'assemblerais des moteurs d'avion !

DES MILLIERS DE SOLDATS ARRIVENT EN GRANDE-BRETAGNE. ILS S'ENTRAÎNENT À DÉBARQUER ET À SAUTER EN PARACHUTE.

Je les trouve charmants ces jeunes GI...

Oh, Mary, ce n'est plus de ton âge !

L'AVIATION PRÉPARE LE TERRAIN EN FRANCE. ELLE BOMBARDE LES ROUTES, LES PONTS ET SURTOUT LES DÉFENSES DU MUR DE L'ATLANTIQUE.

En plein dans le mille. You're the best, Harry !

LES ALLIÉS UTILISENT AUSSI LES RENSEIGNEMENTS FOURNIS PAR LA RÉSISTANCE FRANÇAISE POUR MIEUX CONNAÎTRE LEUR FUTUR THÉÂTRE D'OPÉRATION.

Une nouvelle division vient d'arriver à Omaha.

DÈS 1942, HITLER IMAGINE QU'UN JOUR LES ALLIÉS DÉBARQUERONT SUR LE CONTINENT EUROPÉEN. MAIS IL NE SAIT PAS OÙ. POUR EMPÊCHER TOUTE INVASION, IL ORDONNE LA CONSTRUCTION DU MUR DE L'ATLANTIQUE.

Je veux un mur de béton...

de la Norvège jusqu'à la frontière espagnole !

LES ALLEMANDS COMMENCENT PAR FORTIFIER LES GRANDS PORTS CAR C'EST LÀ, EN TOUTE LOGIQUE, QUE LES ALLIÉS POURRONT DÉBARQUER.

On va transformer les ports en forteresses IM-PRE-NABLES !

EN 1944, LE MARÉCHAL ROMMEL REÇOIT L'ORDRE DE FAIRE ACCÉLÉRER LES TRAVAUX. POUR HITLER, LE CHANTIER N'AVANCE PAS ASSEZ VITE.

Il faut aussi des défenses sur les plages !

DES ENTREPRISES FRANÇAISES TRAVAILLENT À LA CONSTRUCTION DU MUR. CERTAINES SONT FORCÉES DE LE FAIRE, D'AUTRES SONT VOLONTAIRES ET FONT DE JUTEUX BÉNÉFICES.

Au travail ! Il faut encore du béton, beaucoup de béton !

À LA VEILLE DU DÉBARQUEMENT, LE MUR DE L'ATLANTIQUE EST LOIN D'ÊTRE TERMINÉ. LE NORD DE LA FRANCE EST TRÈS BIEN DÉFENDU CE QUI N'EST PAS LE CAS DE LA NORMANDIE.

À mon avis, ils arriveront là où on ne les attend pas.

LES ANGLAIS, QUI EFFECTUENT RÉGULIÈREMENT DES MISSIONS DE RECONNAISSANCE AÉRIENNE, SUIVENT DE PRÈS LA PROGRESSION DES TRAVAUX.

Tiens ! Un nouveau chantier !

LES ALLIÉS SE SONT MIS D'ACCORD : LES BATEAUX PARTIRONT D'ANGLETERRE ET LES AVIONS PROTÉGERONT L'ASSAUT SUR LES PLAGES. L'OPÉRATION BAPTISÉE *OVERLORD* EST RISQUÉE, MAIS ELLE PEUT RÉUSSIR.

Tu sais où on va débarquer ?

Non, c'est top secret !

LES SOLDATS QUI ATTENDENT DEPUIS PLUSIEURS MOIS DANS LES PORTS ANGLAIS EMBARQUENT ENFIN. LES PARACHUTISTES REJOIGNENT LEURS AVIONS.

Le camouflage, c'est essentiel !

MAIS LA MÉTÉO EST MAUVAISE, EISENHOWER DOIT RETARDER LE DÉBARQUEMENT. LE 5 JUIN AU SOIR, UNE ACCALMIE EST ENFIN ANNONCÉE.

Let's go !*

DES MILLIERS DE BATEAUX FONT ROUTE VERS LA NORMANDIE. ARRIVÉS EN VUE DES CÔTES, LES HOMMES DESCENDENT DANS DES BARGES ET NAVIGUENT VERS LES PLAGES.

J'ai le mal de mer...

Tant que ce n'est que ça...

DANS LA NUIT, DES PARACHUTISTES SAUTENT SUR LA NORMANDIE, BEAUCOUP SE NOIENT DANS LES MARAIS.

On va bien finir par les retrouver !

Clic Clac**

Clic Clac

AU PETIT MATIN, LES COMBATS FONT RAGE. LES SOLDATS QUI VIENNENT DE DÉBARQUER ESSAYENT DE TRAVERSER LA PLAGE MALGRÉ LES TIRS ENNEMIS.

On n'en sortira jamais vivants !

*Allons-y ! **Bruit fait par de petits criquets métalliques destinés à communiquer entre Alliés.

SUR OMAHA BEACH, LES AMÉRICAINS SONT EN DIFFICULTÉ. LES TIRS DES DÉFENSEURS LES EMPÊCHENT D'AVANCER ET LES MORTS SONT NOMBREUX. PLUS TARD, ON APPELLERA CETTE PLAGE « OMAHA LA SANGLANTE ».

Il a une balle dans la cuisse. Appelle le doc !

LES RANGERS AMÉRICAINS ONT POUR MISSION D'ESCALADER LA POINTE DU HOC POUR FAIRE SAUTER DES CANONS QUI SE TROUVENT AU SOMMET. UNE FOIS EN HAUT, ILS S'APERCEVRONT QU'IL N'Y A AUCUN CANON !

Plaquez-vous contre la falaise, ils nous tirent dessus !

SUR LA PLAGE DE SWORD, 177 FRANÇAIS DÉBARQUENT AUX CÔTÉS DES ANGLAIS. CE SONT LES COMMANDOS KIEFFER QUI AVAIENT REJOINT DE GAULLE EN ANGLETERRE.

Quelle émotion de revoir la France !

AU SOIR DU 6 JUIN, LE DÉBARQUEMENT A RÉUSSI MAIS LES ALLIÉS CRAIGNENT UNE CONTRE-ATTAQUE ALLEMANDE.

Dégagez la plage ! Les renforts continuent d'arriver !

D'ABORD SURPRIS, LES ALLEMANDS NE TARDENT PAS À RÉAGIR. LA BATAILLE DE NORMANDIE COMMENCE. ELLE VA DURER TROIS MOIS.

En trois semaines, tout devait être réglé...

C'est plus compliqué que prévu !

LES CIVILS NORMANDS TENTENT D'ÉCHAPPER AUX COMBATS ET AUX BOMBARDEMENTS ALLIÉS. LES VILLES SONT DÉTRUITES ET LES MORTS SE COMPTENT PAR MILLIERS.

Il n'y a plus que le clocher qui tient debout...

LA BATAILLE DE NORMANDIE EST GAGNÉE PAR LES ALLIÉS LE 21 AOÛT 1944. LES TROUPES ALLEMANDES SE REPLIENT VERS LES FRONTIÈRES DU REICH. LE 25 AOÛT, PARIS EST LIBÉRÉ.

On se replie !

LA LIBÉRATION DE PARIS A COMMENCÉ LE 19 AOÛT AVEC L'INSURRECTION DU PEUPLE PARISIEN QUI A PRIS LES ARMES CONTRE L'OCCUPANT.

On va libérer Paris, nous-mêmes !

LE 23 AOÛT, HITLER DONNE L'ORDRE DE DÉTRUIRE PARIS. CONSCIENT QUE LA GUERRE EST PERDUE, LE GÉNÉRAL VON CHOLTITZ, GOUVERNEUR DE LA CAPITALE, PRÉFÈRE SE RENDRE. HITLER EST FOU DE RAGE.

Allô, général von Choltitz ! Paris brûle-t-il ?

LE 24 AOÛT, LES TROUPES AMÉRICAINES APPUYÉES PAR LA 2e DIVISION BLINDÉE DU GÉNÉRAL LECLERC ENTRENT DANS PARIS.

C'est les chars de Leclerc !

C'est les Français !

LE GÉNÉRAL DE GAULLE ARRIVE À SON TOUR ET PRONONCE UN DISCOURS AUSSITÔT RETRANSMIS À LA RADIO.

Paris outragé, Paris brisé, Paris martyrisé,

mais Paris libéré !

APRÈS QUATRE ANS D'OCCUPATION, LES PARISIENS FÊTENT LA LIBÉRATION.

Paris sera toujours Paris ♫ ♫

La plus belle ville du monde...

LA LIBÉRATION DE LA FRANCE A COMMENCÉ EN CORSE EN 1943. ELLE SE POURSUIT JUSQU'EN 1945. POUR LES ALLIÉS, LE TERRITOIRE FRANÇAIS N'EST QU'UNE ÉTAPE. LEUR BUT, C'EST L'ALLEMAGNE.

Notre objectif, c'est d'abattre Hitler et le IIIe Reich !

LE 15 AOÛT 1944, LES ALLIÉS DÉBARQUENT EN PROVENCE. APRÈS AVOIR LIBÉRÉ TOULON ET MARSEILLE, ILS REMONTENT LA VALLÉE DU RHÔNE.

Lyon est libérée !

Vive les Alliés !

DANS L'OUEST DE LA FRANCE, APRÈS LA NORMANDIE, LES TROUPES DU GÉNÉRAL PATTON ENTRENT EN BRETAGNE.

C'est les Américains !

Rennes est libre !

LES ALLEMANDS QUI SE REPLIENT COMMETTENT DES MASSACRES SUR LES POPULATIONS CIVILES. LE 10 JUIN 1944, ILS AVAIENT DÉJÀ BRÛLÉ LE VILLAGE D'ORADOUR-SUR-GLANE.

600 morts. Que des civils !

SUR LA CÔTE ATLANTIQUE, DES POCHES DE RÉSISTANCE SUBSISTENT. LES PORTS DE ROYAN, LA ROCHELLE, LORIENT, SAINT-NAZAIRE NE SERONT LIBÉRÉS QU'EN MAI 1945.

On est enfermés ici avec les Allemands.

On nous a oubliés ?

À L'AUTOMNE, LES ALLIÉS ONT ATTEINT LES FRONTIÈRES DU REICH MAIS HITLER VEUT TENTER UNE DERNIÈRE ATTAQUE. IL LANCE UNE OFFENSIVE DANS LES ARDENNES.

Hitler n'a pas dit son dernier mot.

Eisenhower n'avait pas prévu ça.

EN JANVIER 1945, LES ALLIÉS ENTRENT EN ALLEMAGNE. À L'EST, LES RUSSES PROGRESSENT VERS LA CAPITALE DU REICH. À L'OUEST, LES ANGLAIS ET LES AMÉRICAINS LIBÈRENT LES VILLES LES UNES APRÈS LES AUTRES. LA FIN DE LA SECONDE GUERRE MONDIALE VA SE JOUER À BERLIN.

Conformément à nos accords, nous laisserons les Russes prendre Berlin.

Ok.

LES ALLIÉS DÉCOUVRENT LES CAMPS DE CONCENTRATION ET D'EXTERMINATION OÙ ONT ÉTÉ ABANDONNÉS QUELQUES SURVIVANTS.

My God, quel cauchemar !

!!!!!

!!!!

MI-AVRIL, LA BATAILLE DE BERLIN COMMENCE. LES COMBATS FONT RAGE DANS LES RUES DE LA VILLE. LE 2 MAI, BERLIN CAPITULE.

Les Russes ont pris la ville.

HITLER EST ENFERMÉ DANS SON BUNKER. IL NE DORT PLUS ET SE MET SOUVENT EN COLÈRE. IL EST INCAPABLE DE DONNER DES ORDRES COHÉRENTS. ET UN JOUR...

Regarde ça !

Hitler est mort !

LE 7 MAI 1945, LA CAPITULATION DE L'ALLEMAGNE NAZIE EST SIGNÉE À REIMS. LE LENDEMAIN, LA CAPITULATION OFFICIELLE EST SIGNÉE À BERLIN.

Signez ici.

LA SECONDE GUERRE MONDIALE EST FINIE EN EUROPE. ELLE CONTINUE DANS LE PACIFIQUE OÙ ELLE SE TERMINERA LE 2 SEPTEMBRE AVEC LA REDDITION DU JAPON.

LES PRISONNIERS ET LES DÉPORTÉS QUI ONT SURVÉCU FINISSENT PAR RENTRER EN FRANCE APRÈS UN LONG VOYAGE.

J'ai traversé la Pologne et l'Allemagne, je suis épuisé.

À PARIS, L'HÔTEL LUTÉCIA DEVIENT LE CENTRE D'ACCUEIL DES DÉPORTÉS. LES FAMILLES VIENNENT CHAQUE JOUR VOIR CEUX QUI ARRIVENT. CERTAINS ONT APPORTÉ DES PHOTOS.

PRISONNIERS ARRIVÉS

C'est lui, là-bas !

C'EST UN CHOC POUR LA POPULATION FRANÇAISE QUI DÉCOUVRE L'ÉTAT PHYSIQUE DES RESCAPÉS DES CAMPS.

Ici, on ne savait pas...

CERTAINS DÉPORTÉS N'ONT PAS RETROUVÉ LEUR FAMILLE. D'AUTRES ONT EU PLUS DE CHANCE MAIS LE RETOUR EST DIFFICILE.

On ne peut pas raconter.

Ils ne nous croiraient pas.

LES PRISONNIERS DE GUERRE RENTRENT EUX-AUSSI. ILS RETROUVENT LEUR FEMME ET LEURS ENFANTS QUI, PARFOIS, NE LES RECONNAISSENT PAS.

??

Comme tu as grandi...

LES PAYSANS RETROUVENT LEURS FERMES ; LES ARTISANS LEUR ATELIER S'IL N'A PAS ÉTÉ FERMÉ.

Papa, j'ai tenu la boutique en ton absence.

Merci mon fils.

MENUISERIE LAPLA

À LA FIN DE LA GUERRE, CEUX QUI ONT COLLABORÉ AVEC L'ALLEMAGNE NAZIE SONT RECHERCHÉS. CETTE VOLONTÉ DE CONDAMNER LES COLLABORATEURS S'APPELLE L'ÉPURATION.

?

DÈS L'ÉTÉ 1944, CETTE ÉPURATION AVAIT COMMENCÉ. CERTAINS RÉSISTANTS DÉCIDÈRENT DE PUNIR EUX-MÊMES LES COLLABORATEURS.

Condamné à mort pour avoir trahi la France !

EN ALLEMAGNE, S'OUVRE LE PROCÈS DE NUREMBERG POUR JUGER LES DIRIGEANTS NAZIS.

À L'AUTOMNE, LE NOUVEAU GOUVERNEMENT DE LA FRANCE PRÉSIDÉ PAR LE GÉNÉRAL DE GAULLE MET EN PLACE DES TRIBUNAUX SPÉCIAUX.

Il faut juger les traîtres et reconstruire la France.

FIN JUILLET 1945, SE TIENT LE PROCÈS DU MARÉCHAL PÉTAIN DEVANT UNE COUR DE JUSTICE SPÉCIALEMENT CRÉÉE POUR LES DIRIGEANTS DE VICHY.

Le gouvernement de Pétain a collaboré dans tous les domaines avec Hitler.

LE MARÉCHAL PÉTAIN EST CONDAMNÉ À MORT MAIS SA PEINE EST TRANSFORMÉE EN EMPRISONNEMENT À VIE.

Pétain va rester prisonnier sur l'Île d'Yeu jusqu'à la fin de ses jours...

POUR CEUX QUI ONT PARTICIPÉ AU GÉNOCIDE, IL FAUDRA ATTENDRE 1979 POUR QU'UN FRANÇAIS SOIT INCULPÉ POUR LA RAFLE DU VEL D'HIV.

Il est accusé de crimes contre l'humanité*.

Palais de justice

* Notion juridique apparue en 1945 lors du procès de Nuremberg.

LE BILAN DE LA GUERRE EST LOURD POUR LA FRANCE. IL FAUT RÉPARER LES ROUTES, LES VOIES FERRÉES, DÉMINER LES CÔTES ET RECONSTRUIRE LES VILLES.

Dégagez le passage !

LES FRANÇAIS DONT LA MAISON A ÉTÉ DÉTRUITE SONT RELOGÉS PROVISOIREMENT.

Nous, on habite dans un baraquement donné par la Suisse.

LA GUERRE EST FINIE MAIS LA PÉNURIE CONTINUE. IL EST TOUJOURS DIFFICILE DE TROUVER À MANGER.

On a toujours des tickets de rationnement...

Et on ne trouve pas de tout.

EN 1947, L'AIDE AMÉRICAINE ARRIVE EN EUROPE POUR AIDER À LA RECONSTRUCTION. C'EST LE PLAN MARSHALL.

Les régimes totalitaires se nourrissent de la misère.

H. TRUMAN

LA RECONSTRUCTION DE LA FRANCE PRENDRA PLUS DE 20 ANS. ON CONSTRUIT DES IMMEUBLES MODERNES BIEN ÉQUIPÉS.

Ça sera plus confortable que nos baraquements.

EN 1945, L'ORGANISATION DES NATIONS UNIES (ONU) EST CRÉÉE À NEW YORK. ELLE RÉUNIT UNE CINQUANTAINE DE PAYS.

NOUS SOMMES RÉSOLUS À PRÉSERVER LES GÉNÉRATIONS FUTURES DU FLÉAU DE LA GUERRE ET À PROCLAMER NOTRE FOI DANS LES DROITS DE L'HOMME.

Des hommes et des femmes refusent l'Occupation allemande et s'engagent dans la Résistance. Certains participent à des sabotages, d'autres mènent des actions plus discrètes mais tous ont décidé de dire « non » à l'occupant.

L'appel du général de Gaulle

Le 18 juin 1940, le général de Gaulle lance un appel à la radio de Londres (la BBC) pour encourager les Français à poursuivre la lutte contre l'occupant. En Grande-Bretagne, il fonde la France Libre et crée une petite armée : les Forces françaises libres. Au fil des mois, des combattants volontaires viennent le rejoindre. Ils se battront aux côtés des Britanniques et participeront à la libération de la France en 1944.

L'espérance doit-elle disparaître ?

Les combattants de l'ombre

En 1940, les résistants sont peu nombreux et leurs actions sont le fait d'individus isolés.
À partir de 1941, le nombre de résistants augmente. Quand, fin 1942, la zone non occupée est envahie par l'armée allemande, quelques milliers de Français se regroupent dans des camps appelés des maquis. En 1943, une partie des jeunes qui refuse le Service du Travail Obligatoire rejoint ceux qu'on appelle les combattants de l'ombre.
D'année en année, la résistance s'organise en réseaux bien structurés. Parmi les plus célèbres, on trouve : Libération-Nord, Libération-Sud, Combat ou le Franc Tireur.

Sabotages, renseignements et évasions...

Les résistants ont un objectif commun : lutter contre l'occupant allemand et aider les Alliés à préparer la libération de la France. Pour cela, ils mènent des actions de sabotage, font sauter des voies ferrées et attaquent des convois militaires.

Sabotage d'une voie de chemin de fer

Les résistants fournissent aussi des renseignements aux Alliés. Comment avance le chantier du mur de l'Atlantique ? De nouvelles divisions sont-elles arrivées dans la région ? Ces informations se révèleront précieuses au moment du débarquement.
Autre activité de la Résistance : l'aide aux personnes recherchées et aux enfants juifs. Les résistants leur fournissent des faux papiers et les cachent dans des familles d'accueil.
La résistance imprime aussi des tracts et des journaux qu'elle distribue clandestinement. Elle encourage les Français à désobéir aux Allemands et au gouvernement du maréchal Pétain.

Une activité très dangereuse

Les Allemands recherchent les résistants, les emprisonnent et parfois les condamnent à mort. En décembre 1941, l'opération « Nuit et Brouillard » (*Nacht und Nebel*) est décidée. Elle prévoit de faire disparaître définitivement tous les opposants au IIIᵉ Reich.

Face à une répression de plus en en plus forte, les résistants doivent redoubler de vigilance. Règle numéro 1 : ne faire confiance à personne !

Jean Moulin revient en France

En 1942, Jean Moulin est parachuté en France. Il a reçu une mission très importante : rassembler les résistants sous l'autorité du général de Gaulle. Fin mai 1943, il fonde le Conseil national de la Résistance. Quelques semaines plus tard, il est arrêté. Il est torturé mais ne parle pas. Il meurt en juin 1943.

La Résistance dans la libération

Quelques jours avant le débarquement, des messages codés sont adressés par radio à la Résistance. Pour les combattants de l'ombre, l'heure est venue d'entrer en action. Ils doivent couper les routes, faire sauter les voies ferrées et endommager le réseau téléphonique. Quand la libération de la France commence, des milliers d'hommes rejoignent les Forces françaises de l'Intérieur (FFI) et les maquis pour se battre contre l'armée allemande qui commence à se replier.

Portrait de Jean Moulin

L'extermination des Juifs n'est pas un massacre comme les autres. Désignés comme les ennemis de l'État nazi par Hitler, les hommes, les femmes et les enfants juifs sont arrêtés puis déportés et assassinés.

L'Allemagne nazie : un État raciste

Dès son arrivée au pouvoir, Hitler met en place une politique de purification raciale. Il affirme que les Allemands appartiennent à une race supérieure (la race aryenne) et qu'il faut débarrasser le pays des races considérées comme « inférieures » : les Tziganes... et surtout les Juifs. En 1935, l'Allemagne adopte les lois de Nuremberg qui ont pour objectif de séparer les Juifs du reste de la population. Les manifestations anti-juives se multiplient, les vitrines des magasins juifs sont brisées et de nombreuses synagogues sont incendiées. Dans un premier temps, les nazis poussent les juifs à quitter le pays mais à l'automne 1941, Hitler décide les exterminer.

La déportation

Au début de la guerre, le Reich s'empare de vastes territoires à l'est de l'Europe sur lesquels vivent des millions de Slaves et de Juifs. Des groupes de militaires surnommés les « escadrons de la mort » vont de village en village et assassinent les Juifs. À partir de 1942, les nazis décident de tuer encore plus de Juifs en les transportant dans des camps d'extermination. Sur le territoire polonais, six camps ont été construits. Le plus grand se trouve à Auschwitz.

La France livre des Juifs aux nazis

Le gouvernement du maréchal Pétain collabore avec l'Allemagne nazie et dès 1940, des lois antisémites sont publiées. Certains métiers sont interdits aux Juifs. Il en est de même de nombreux lieux publics comme les

Parc à jeux à Paris pendant la guerre

parcs ou certaines salles de spectacle et de cinéma. En 1942, tous les Juifs de plus de six ans doivent porter une étoile jaune.

Les Juifs sont traqués par les autorités françaises qui organisent des rafles. Ils sont enfermés dans des camps de transit comme Drancy (près de Paris) puis sont déportés vers les camps d'extermination du Reich. Les 16 et 17 juillet 1942, la rafle du Vel d'Hiv rassemble près de 13 000 Juifs dont 4 000 enfants.

Il faut cacher les enfants...

En France, les familles juives comprennent dès 1942 que leurs enfants sont en danger. Elles vont tout faire pour les sauver. Des réseaux de sauvetage sont créés pour cacher les enfants dans des colonies de vacances, des pensionnats ou dans des familles d'accueil. En général, ces familles habitent à la campagne, ce qui diminue le risque de se faire repérer. Pour passer inaperçus, les enfants doivent changer de nom et ne jamais parler de leur ancienne vie. Pour certains, tout s'est bien passé. Pour d'autres, les familles qui ont accepté de les cacher les ont traités durement et les ont fait travailler. Rares sont ceux qui retrouvent leurs parents à la fin de la guerre.

Les Alliés libèrent les camps

Quand les Alliés libèrent l'Allemagne, ils découvrent les camps d'extermination dans lesquels plusieurs millions de Juifs et des centaines de milliers de Tsiganes ont trouvé la mort. Le 26 janvier 1945, les Soviétiques entrent dans Auschwitz. Là, comme ailleurs, les Allemands ont tenté d'effacer les traces de leur crime en détruisant les documents et en dynamitant les chambres à gaz et les fours crématoires.

Le procès de Nuremberg

Le 20 novembre 1945, la guerre est finie. Un grand procès s'ouvre à Nuremberg pour juger vingt-quatre hauts responsables nazis.
Pour juger les crimes abominables commis contre les Juifs et les Tziganes, il a fallu inventer une nouvelle expression : « le crime contre l'humanité ».
Les accusés plaident « non coupables » car ils disent avoir obéi aux ordres d'Hitler. Onze sont pendus, d'autres sont condamnés à la prison à vie.

La Seconde Guerre mondiale se termine le 8 mai 1945 en Europe, et le 2 septembre 1945 en Asie. Cette guerre a touché les cinq continents, provoqué d'énormes destructions et fait plus de 65 millions de victimes.

Les civils sont les plus touchés

Pour la première fois, il y a plus de morts civils (environ 40 millions) que de morts militaires. Le nombre de victimes est très différent d'un pays à l'autre : 20 millions en Chine, 18 millions en URSS, 6 millions en Allemagne, 600 000 en France, 400 000 pour la Grande-Bretagne et 350 000 pour les États-Unis. Les victimes civiles ont, pour la grande majorité, été tuées dans les bombardements des villes ou sont mortes dans des massacres comme en URSS ou en Asie.

Champignon atomique de la bombe à Hiroshima

Massacres de populations et camps de la mort

En 1945, le monde découvre l'horreur des camps, les massacres de populations et de prisonniers, les bombardements des villes et leurs millions de victimes. En France, comme en Europe, on était loin d'imaginer ce qui se passait dans les camps de concentration et encore moins dans les camps d'extermination. La Shoah a fait près de 6 millions de morts dont 1 250 000 enfants. Pour la France, le chiffre s'élève à 76 000 victimes soit 22% de la population juive.

Les deux bombes atomiques larguées sur Hiroshima et Nagasaki ont aussi terrifié les Occidentaux qui ont brutalement pris conscience des effets mortels de l'arme nucléaire.

La mémoire de la guerre

Aujourd'hui, des lieux, des monuments, des dates anniversaires permettent de se souvenir de la guerre. Chaque pays choisit les événements qu'il souhaite commémorer. Chaque famille a aussi sa propre mémoire de la guerre. En France, on célèbre la victoire du 8 mai 1945 ainsi que le débarquement du 6 juin 1944, journée qui est devenue le symbole de la libération de l'Europe. À cette occasion, la France accueille les chefs d'État des pays qui ont participé au débarquement et de nombreuses familles américaines, britanniques et canadiennes qui se rendent sur les plages de Normandie.

Affiche des Nations Unies

NATIONS UNIES

7 erreurs, absurdités ou anachronismes ont été volontairement glissés dans ce dessin. Sauras-tu les retrouver ?

Réponses (de haut en bas de l'image) : 1. Le premier modèle de 2CV Citroën date de 1948. **3.** Le premier disque de Johnny Hallyday a été enregistré en 1960. **4.** Ce modèle de gramophone des années 1880 n'était plus utilisé dans les années 1940. **5.** La bouteille de ketchup a été commercialisée en France dans les années 1950. **6.** Les chaussures en plastique (Crocs) datent de 2003. **2.** Les Français n'affichaient pas le portrait du général de Gaulle pendant l'Occupation.

Où retrouver la Seconde Guerre mondiale ?

Les lieux de mémoire

Le wagon de l'Armistice - Compiègne (Oise)
Centre d'interprétation de la ligne de démarcation - Génelard (Saône-et-Loire)
Le Musée de la reddition - Reims (Marne)
La Maison d'Izieu mémorial des enfants juifs (Ain)
Le Centre européen du Résistant déporté au Struthof - Natzwiller (Bas-Rhin)
Mémorial de la Résistance - Vassieux-en-Vercors (Drôme)
Les vestiges du mur de l'Atlantique (Pas-de-Calais)
Les plages du débarquement de Normandie (Calvados-Manche)

Les musées

Mémorial du Camp des Milles - Aix-en-Provence (Bouches-du-Rhône)
Musée de la Résistance et de la Déportation - Besançon (Doubs)
Centre Jean Moulin - Bordeaux (Gironde)
Mémorial de Caen (Calvados)
Musée de la Résistance Nationale - Champigny-sur-Marne (Val de Marne)
Mémorial Charles de Gaulle - Colombey-les-Deux-Eglises (Haute-Marne)
Mémorial des civils dans la guerre – Falaise (Calvados)
Musée La Coupole - Helfaut (Pas-de-Calais)
Centre d'Histoire de la Résistance et de la Déportation - Lyon (Rhône)
Centre de la mémoire d'Oradour-sur-Glane (Haute-Vienne)
CERCIL - Orléans (Loiret)
Mémorial de la Shoah - Paris 4e
Musée de l'Armée, Hôtel des Invalides - Paris 7e
Mémorial du camp de Rivesaltes - Salses le Château (Pyrénées-Orientales)

L'histoire en ligne...

Musée de la Résistance - http://museedelaresistanceenligne.org
Le Journal de Suzon - http://www.journal-suzon.fr
L'Album de Rachel et Hannah - http://rachel-hannah.fr
Le Grenier de Sarah - http://www.grenierdesarah.org

Mémorial de la Résistance de Chasseneuil-sur-Bonnieure dans le massif du Vercors (dans le département de la Drôme)